Een beer op school

Truus van de Waarsenburg
tekeningen van Camila Fialkowski

Zwijsen

dag
het licht is uit
ik slaap
Loes
ik vaar
met een
schip
mik

Een beer op de fiets

Het is maandag.
Juf Loes is in de klas.
Ze legt een boek klaar.
Het is nog te vroeg voor de les.
Tom rent de klas in.
‘Juf, juf,’ roept hij.
‘Ik zag een beer op de fiets.’

‘Een beer?’ zegt juf Loes.
‘Dat moet ik zien.’
Juf Loes gaat naar het plein.
Zij ziet de beer ook.
Hij zit niet meer op de fiets.
Nee, hij staat voor haar neus.

‘Dag juf Loes,’ zegt de beer.
‘Nee maar, Bas!’ roept de juf.
‘Wat heb jij een leuk pak aan.’
De beer kijkt boos.
‘Ik heet geen Bas,’ zegt hij.
‘Ik heet Bas de beer.’
En hij gaat de klas in.

Bas de beer zit op zijn stoel.
Koen komt er bij staan.
‘Gaaf pak, Bas,’ zegt Koen.
‘Durf jij dat wel aan naar school?
En als Daan om jou lacht?
Of Job?
Als Daan je pest?
Geef jij daar niks om?’

‘Ik ben Bas de beer,’ roept Bas.
‘Daan doet heel stoer.
Maar dat kan ik ook.
Daan wil ook wel een beer zijn.
Daar wed ik om.
Ik ben niet bang van Job en Daan.
Ik ben een beer.
Grr, kom maar op.’

‘Jij ziet er leuk uit,’ zegt Kim.
‘Ik heb ook een pak.
Het pak van een poes.
Dat doe ik aan als ik speel.
Maar naar school …
Dat durf ik niet.’

Juf Loes roept:
‘We gaan aan het werk.’
De groep van Bas leest.
En dan doen ze taal.
Het is warm in de klas.
Bas de beer zit in de zon.
‘Pff,’ zegt hij.
‘Ik heb het heet.’

Juf Loes hoort het.
‘Trek dat pak maar uit,’ zegt ze.
‘Dat kan niet, juf,’ zegt Bas.
‘Het is mijn vel.
Ik ruil wel met Tom.
Dan zit ik niet meer in de zon.’

Een stom pak?

Bas de beer is op het plein.
Hij doet een spel met Koen.
‘Daar heb je Daan,’ zegt Koen.
‘En Job is er ook bij.’
Daan zit ook in groep drie.
Maar niet bij juf Loes.
‘Nou en?’ zegt Bas.

Daan gaat voor Bas staan.
‘Wat zie jij er stom uit,’ roept hij.
‘Ja, stom,’ zegt Job.
‘Dat is een heel stom pak.
Trek het maar vlug uit.’

Job pakt Bas vast.
Daan rukt aan zijn arm.
‘Schei uit,’ roept Koen.
‘Laat me los,’ gilt Bas.
Maar dat doet Daan niet.
Hij rukt nog eens.
Koen kijkt er bang naar.

Daar is Els uit groep zes.
Ze woont bij Bas in de buurt.
Haar broer Paul komt er ook bij.
En nog een stel uit zijn groep.
Ze zijn heel groot.
Daan laat Bas de beer los.
Hij gaat met Job weg.
Maar niet ver.

‘Goed zeg, dat pak,’ zegt Paul.
‘Heet je nou Bas de beer?’
‘Hoe raad je het?’ lacht Bas.
Els zegt:
‘Mag ik dat pak eens aan?
Ik wil ook graag een beer zijn.’

‘Hoor je dat, Daan?’ zegt Job.
Daan hoort het.
‘Mm,’ zegt hij.
‘Het is een stom pak.
Maar ook wel leuk.’
Daan zegt het heel zacht.
En hij kijkt er niet stoer bij.
Snel loopt hij de school in.

De klas gaat weer aan het werk.
Bas de beer maakt een som.
'Pff,' zegt hij.
'Nou zit ik weer in de zon.
Ik heb het warm.
Mijn pak is veel te dik.
Ik trek het maar uit.'

Bas doet het pak uit.
'Ik hang het aan mijn haak,' zegt hij.
Hij gaat naar de gang.
Gauw het pak aan de haak.
Dan maakt Bas de som af.

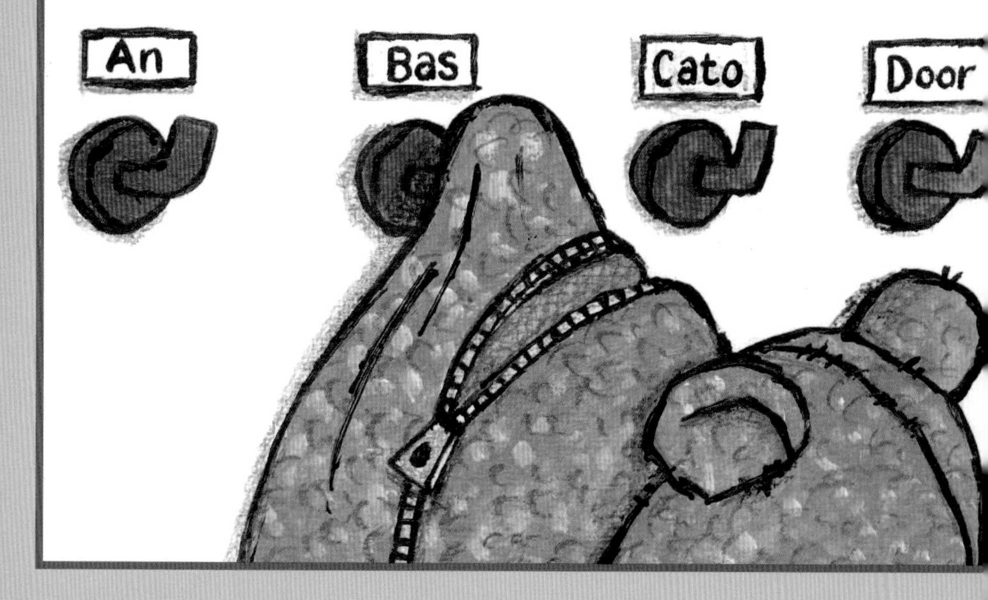

Houd de dief

De school is uit.
Bas gaat naar de gang.
Hij zoekt zijn pak.
Het hing toch aan de haak?
Maar de haak is leeg.
Het pak van de beer is weg!

‘Juf, juf,’ gilt Bas.
‘Mijn pak is weg.
Er is een dief op school.’
‘Een dief!’ roept Koen.
‘Houd de dief!’ gilt Kim.
Ze rent door de gang.

‘Sss, stil,’ zegt juf Loes.
‘Dat pak kan niet weg zijn.
Ligt het niet in de klas?
Kijk jij daar eens, Koen.
Dan zoek ik hier op de gang.’
Koen zoekt, Kim zoekt.
Heel de groep zoekt.
Maar het pak is echt weg.

‘Ik snap het niet,’ zegt juf Loes.
‘Maar ik zoek het uit.
Jij moet naar huis, Bas.
Wie haalt je op?’
Bas zegt: ‘Oom Kees.
Maar ik wil mijn pak.’
‘Het komt wel gòed,’ zegt juf.

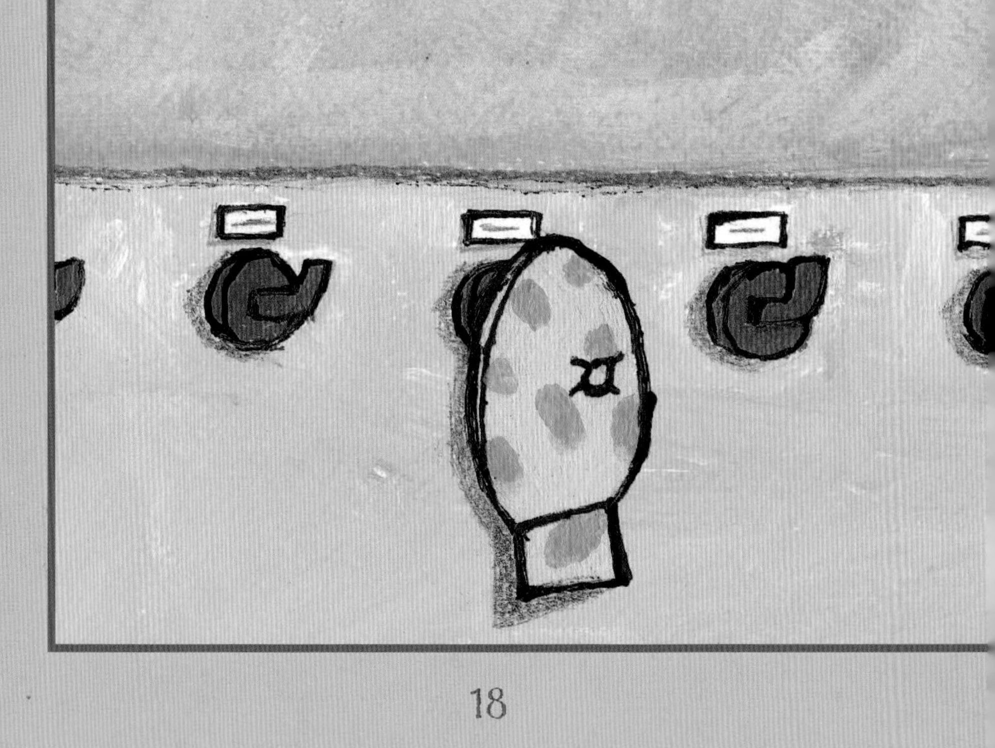

Help!
Een bee
p schoo
ij heet Bas

Oom Kees staat op het plein.
‘Ha, daar ben je,’ zegt hij.
‘Ik zag net iets geks.
Er kwam een beer aan.
“Dag Bas,” zei ik.
Maar de beer liep mij voorbij.
Jij was het niet.
Was er nog een beer op school?’

‘Dat was de dief,’ zegt Bas.
‘Wie was het?’
Dat weet oom Kees niet.
‘Waar ging hij heen?’ roept Bas.
Oom Kees wijst.
‘Hij liep die kant op.
Kom Bas, we gaan naar huis.
Het is al laat.’

Bas hoort het niet meer.
Hij laat oom Kees staan.
'Kom op, Koen,' roept hij.
'We gaan erop af.
Hij liep die kant op.
Houd de dief!'

Koen rent met Bas mee.
'Als Daan de dief is?' zegt Koen.
'Wat dan?'

Wie is de dief?

Vlak bij school is een bushok.
Job zit in het bushok.
Hij heeft een beer bij zich.
Daan de beer.
'Wat doen we nou?' zeurt Job.
'Je kunt niet weg.
Die oom van Bas zag ons.
Trek dat pak maar uit.
Wie pikt er nou een pak?'

‘Leek me leuk,’ zegt Daan.
‘Ik wou ook eens een beer zijn.
Els en Paul zijn groot.
Toch lijkt het hun ook leuk.’
Dan hoort hij ver weg:
‘Houd de dief.’

Vlug doet Daan het pak uit.
‘Schiet op,’ roept Job.
‘Daar komt Bas aan.
Maak dat je weg komt.’
Maar Daan rent niet weg.

‘Ik weet wat,’ zegt hij.
Hij raapt het pak weer op.
Dan loopt hij het bushok uit.
‘Joe-hoe, Bas!’ roept hij.
Hij wuift met het pak.
‘Zoek je dit soms?
Het lag in het bushok.’

Bas holt naar hem toe.
'Geef hier, dief,' roept hij.
Maar Daan zegt:
'Ik zocht jouw pak.
En het lag hier.
Ben je nou niet blij?'

'Maar ...' zegt Bas.
'Ben jij niet de dief?
Wie dan wel?
Jij soms, Job?'
'Nee man, ik niet,' roept Job.
'Wat maakt het ook uit,' zegt Daan.
'Je pak is er toch weer?'
Bas kijkt Daan lang aan.
'Dat is waar,' zegt hij dan.

'Dank je wel, Daan.
'Daar ben ik heel blij mee.
Weet je wat?
Jij mag mijn pak een keer aan.
Als je een beer wilt zijn.
Goed?'
'Lijkt me leuk,' zegt Daan.

Daan en Job gaan weg.
'Zou het waar zijn?' zegt Koen.
'Of jokt Daan?'
'Ik weet het niet,' zegt Bas.
'Maar een ding weet ik wel.
Bas de beer was niet bang van Daan.
En ik ook niet meer.'

Serie 8 • bij kern 8 van Veilig leren lezen

ISBN 90.276.7784.0
NUR 287

Vormgeving: Rob Galema

1e druk 2004

Illustraties: Camila Fialkowski
Uitgeverij Zwijsen B.V. Tilburg

Voor België:
Zwijsen-Infoboek, Meerhout
D/2004/1919/546